Pour Fantine et Juliette

Directeurs de collection :

Laure Mistral
Philippe Godard

Dans la même collection :

Shubha, Jyoti et Bhagat vivent en Inde
Ikram, Amina et Fouad vivent en Algérie
Meihua, Shuilin et Dui vivent en Chine
Anna, Kevin et Nomzipo vivent en Afrique du Sud
Aoki, Hayo et Kenji vivent au Japon
Ahmed, Dewi et Wayan vivent en Indonésie
João, Flávia et Marcos vivent au Brésil
Rachel vit à Jérusalem, Nasser à Bethléem
Sacha, Andreï et Turar vivent en Russie
Sultana, Leila et Everett vivent aux États-Unis
Darya, Reza et Kouros vivent en Iran
N'Deye, Oury et Jean-Pierre vivent au Sénégal
Kathryn, Sébastien et Virginie vivent au Canada

Retrouvez toutes nos parutions sur :
www.lamartinierejeunesse.fr
www.lamartinieregroupe.com

Conception graphique et réalisation : Elisabeth Ferté

© 2005, Éditions de La Martinière,
une marque de La Martinière Groupe, Paris.

Enfants d'ailleurs

Claire Veillères

Ikram, Amina et Fouad vivent en Algérie

الجزائر

Illustrations
Sophie Duffet

De La Martinière
Jeunesse

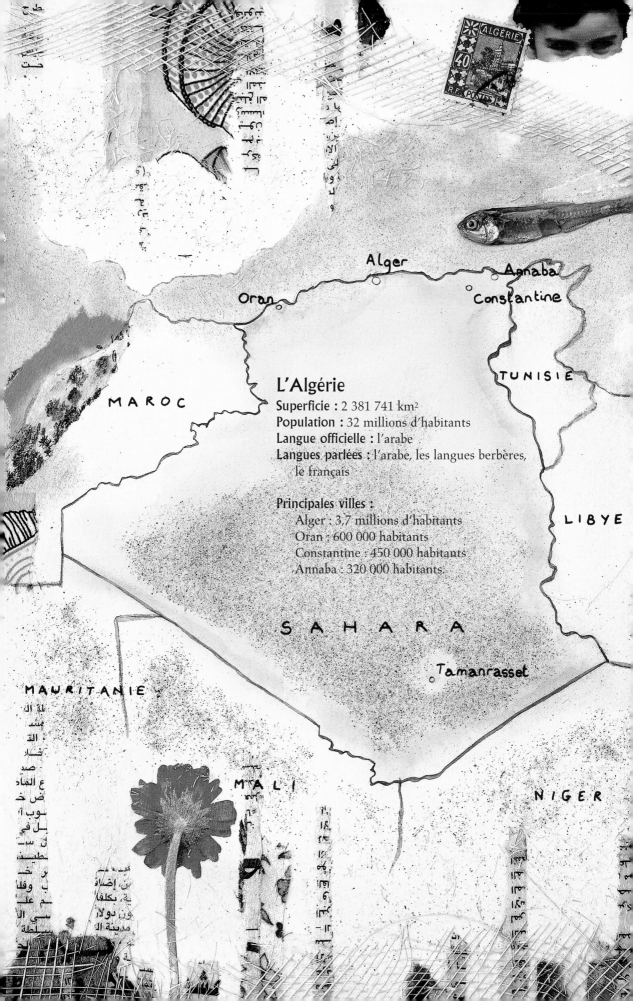

L'Algérie
Superficie : 2 381 741 km²
Population : 32 millions d'habitants
Langue officielle : l'arabe
Langues parlées : l'arabe, les langues berbères,
le français

Principales villes :
   Alger : 3,7 millions d'habitants
   Oran : 600 000 habitants
   Constantine : 450 000 habitants
   Annaba : 320 000 habitants.

MAROC

Oran   Alger   Annaba
                 Constantine

TUNISIE

LIBYE

S A H A R A

Tamanrasset

MAURITANIE

MALI

NIGER

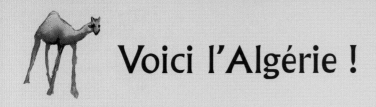

Voici l'Algérie !

Le nom « Algérie » vient de l'arabe *al-jaza'ir*, qui signifie « les îles ». Pour certains, ce sont les îles situées en face du port d'Alger qui ont donné leur nom au pays. Pour d'autres, il vient de ce que les côtes de l'Algérie, vertes et arrosées par les pluies, constituent un îlot de vie entre la mer Méditerranée au nord, et le désert du Sahara au sud.

Le continent africain est coupé en deux par un immense désert, le Sahara, qui s'étend de l'est à l'ouest et sépare le Maghreb (ou Afrique du Nord) de l'Afrique noire. Le Maghreb regroupe, de l'est à l'ouest, la Libye, la Tunisie, l'Algérie, le Maroc et la Mauritanie.

L'Algérie est le plus grand pays du Maghreb (quatre fois la France), mais il n'est pas très peuplé : seulement 32 millions d'habitants. Près de 80 % de l'Algérie est constituée de régions désertiques. Ces déserts de pierres ou de sable sont très peu peuplés, et 95 % des Algériens vivent sur le littoral, dans les régions qui bordent la Méditerranée. Les principales grandes villes se trouvent aussi sur la côte : Alger, la capitale, Constantine, Annaba et Oran. Dans le désert, une seule grande ville tient lieu de centre administratif : Tamanrasset.

La langue officielle de l'Algérie est l'arabe. De nombreux Algériens parlent aussi des langues *berbères*, ainsi que le français.

La monnaie de l'Algérie est le dinar.

Le gaz naturel et le pétrole représentent près de 30 % de la richesse totale du pays. C'est grâce à leur vente à l'étranger que le gouvernement achète la nourriture que les Algériens ne produisent pas en quantité suffisante pour nourrir toute la population.

Dans le domaine agricole, l'Algérie produit surtout des dattes, des artichauts et des olives. La production de l'Algérie est principalement vendue en Europe. Les liens économiques entre ce pays et l'Europe sont donc très étroits.

Une histoire tourmentée

L'histoire de la région remonte à des temps très anciens, puisqu'on a découvert en Algérie des peintures d'hommes préhistoriques.

Après avoir été une possession des Romains, l'Algérie fut conquise par les Arabes au VIIe siècle. Ils imposèrent alors la religion musulmane et la langue arabe. Puis le pays fit partie de l'Empire turc avant de devenir une colonie française en 1830. Ces conquêtes n'ont pas empêché la culture et les langues des premiers habitants, les Berbères, de se perpétuer jusqu'à nos jours.

Commencée en 1830, la conquête de l'Algérie par la France fut un choc profond pour les Algériens. La France domina ce pays en méprisant sa culture, sa religion et sa langue. Elle privilégia la « colonisation de peuplement », c'est-à-dire l'installation de Français sur les meilleures terres du pays. En 1954, les Algériens s'engagèrent dans la guerre contre la France, pour libérer le pays de toute domination étrangère. Très dure pour les Algériens comme pour les Français, la guerre de libération nationale dura huit ans et s'acheva par l'indépendance de l'Algérie, en 1962.

Libérés de la domination française, les Algériens ne connurent pas pour autant la liberté et la démocratie. En effet, l'armée algérienne, issue du mouvement de libération nationale, prit le pouvoir, gérant les richesses du pays pour elle-même plutôt que pour tous les Algériens. Cela provoqua le mécontentement de la population.

En 1988, une importante révolte éclata. Elle fut réprimée dans le sang par l'armée. La population se tourna alors vers les mouvements politiques qui s'opposaient à l'armée et, lors des élections locales de 1991, le parti du Front islamique du salut (FIS) remporta la majorité dans les villes d'Algérie. Ce parti avait l'intention d'appliquer la loi musulmane dans tout le pays. En le soutenant, la population algérienne voulait surtout montrer à l'armée et au parti qui représentait l'armée au gouvernement, le Front de libération nationale (FLN), qu'il était temps d'installer la liberté politique et la justice dans le pays.

Lorsque, en 1992, le FIS obtint à nouveau la majorité au premier tour des élections législatives (pour la désignation des députés à l'Assemblée nationale), l'armée refusa de reconnaître ce résultat et interdit le FIS. Le pays plongea alors dans la guerre civile (c'est-à-dire la guerre entre les Algériens eux-mêmes). Certains partisans du FIS, islamistes extrémistes, formèrent des groupes armés qui terrorisaient la population. La présence de ces « terroristes » servit de prétexte à l'armée pour ne pas instaurer la démocratie.

Depuis le début des années 2000, l'armée a éliminé une grande partie des islamistes. Un certain calme est revenu dans le pays. Mais, sur le fond, rien n'a changé. La population s'est encore appauvrie. La liberté politique n'existe toujours pas. Derrière le gouvernement, l'armée continue de diriger le pays en refusant l'installation d'une véritable démocratie. Les jeunes générations vont avoir beaucoup à faire pour transformer l'Algérie en un pays où règnent la paix et la liberté.

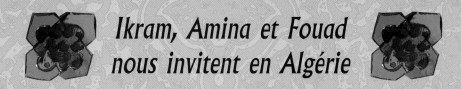

Ikram, Amina et Fouad nous invitent en Algérie

Pour nous faire découvrir l'Algérie, trois enfants, Ikram, Amina et Fouad, vont nous accompagner.

Ikram a douze ans, il vit dans les montagnes de Kabylie, au nord du pays. Ses parents élèvent des vaches, des chèvres et des moutons. La Kabylie s'étend à l'ouest d'Alger, vers l'intérieur des terres. Ikram hésite encore sur ce qu'il veut faire plus tard, mais l'idée de soigner les gens l'attire. Il pourrait étudier en France, où vivent déjà ses oncles, qui sont émigrés. Ils envoient d'ailleurs régulièrement de l'argent aux parents d'Ikram pour qu'ils agrandissent la maison. Même si, plus tard, Ikram fait ses études en France, il veut revenir travailler et vivre dans son pays.

Amina a treize ans et vit dans la capitale, Alger. Son père est haut fonctionnaire dans l'administration et il possède une belle villa sur les hauteurs de la ville. Le soir, de la fenêtre de sa chambre, Amina voit la mer, bordée d'un collier de minuscules lumières. C'est un croissant d'or qui scintille dans la nuit. Amina sait qu'elle a beaucoup de chance d'habiter une telle maison et, surtout, d'avoir une chambre pour elle seule. La plupart de ses amies sont obligées de dormir avec leurs sœurs, parfois toutes ensemble dans le salon, parce qu'il n'y a pas suffisamment de pièces dans la maison. Amina voudrait lutter contre les injustices et les inégalités dans son pays.

Fouad, qui a onze ans, vit à l'autre bout de l'Algérie, au sud, en bordure du désert. Il y a très longtemps, sa famille y vivait, élevant des chameaux et transportant des marchandises. Son grand-père a été le premier à abandonner le désert. Il a laissé la tente et s'est installé définitivement dans une maison en ciment. Fouad a la nostalgie de la vie dans le désert. Il ne l'a jamais connue, mais se l'imagine grâce aux histoires que lui raconte son arrière-grand-père… Il rêve, plus tard, de retourner vivre en nomade là-bas.

Ikram,
jeune garçon de Kabylie

Ikram habite un hameau de quelques maisons accrochées au flanc de la montagne. La Kabylie n'est pas très éloignée d'Alger, la capitale, mais ses habitants conservent néanmoins des traditions culturelles spécifiques, comme la langue – le *tamazight* – ou la poésie, à travers laquelle ils racontent leurs guerres, leurs révoltes, leurs amours.

La Kabylie a joué un rôle important dans l'histoire de l'Algérie. Ce fut d'abord un centre économique très dynamique, d'où venaient les meilleurs artisans. Plus tard, lorsque les Algériens prirent les armes contre le colonisateur français, la Kabylie fut la première région à entrer dans le combat. Mais les Kabyles estiment que leur importance n'est pas suffisamment reconnue par le pouvoir à Alger. Comme la démocratie n'existe pas vraiment, les habitants de Kabylie ont le sentiment qu'ils ne peuvent pas faire entendre leur voix. De son côté, le gouvernement redoute les divisions qui pourraient semer la discorde dans le pays et il préfère ignorer les demandes des Kabyles. Les relations avec le gouvernement ne sont donc pas toujours faciles.

Le calme après la terreur

Ikram s'éveille. Une odeur familière de café et de pain chaud se faufile jusqu'à son lit. Ses jeunes frères dorment encore à ses côtés. Derrière la mince cloison de bois qui sépare leur chambre de l'étable, Ikram entend le ruminement des vaches que le père a nourries. Elles sont plus paisibles que les chèvres, qui se

disputent le foin à coups de cornes. Elles sortiront toutes, dès que le soleil sera levé. Les petits frères d'Ikram, qui ne vont pas encore en classe, iront les garder dans les prairies au-dessus de la maison.

Aujourd'hui, les enfants peuvent à nouveau sortir sans crainte. Mais, pendant dix ans, entre 1992 et 2002, la mère les retenait près d'elle, redoutant qu'ils ne tombent aux mains de ces islamistes que le gouvernement appelle « terroristes ». Dans tout le pays, sauf les régions les plus désertiques, ces hommes tuaient et pillaient impitoyablement, en prétendant vouloir faire régner la volonté de Dieu. Ikram sait que leur islam n'est pas le véritable islam : la religion n'ordonne ni de voler, ni de tuer ou de faire du mal, bien au contraire. Elle ordonne de respecter l'autre, d'aider les plus pauvres avec la *zakat*, l'aumône légale que les bons musulmans doivent chaque année donner pour les plus démunis.

Les terroristes surgissaient souvent la nuit. Ils prenaient d'assaut une ferme. Il arrivait que tous les habitants soient tués. De jour, déguisés en policiers, ils montaient parfois de faux barrages sur les routes. Ils arrêtaient les automobilistes et les dépouillaient. Les gens comprenaient que le pays allait mal, surtout depuis que le gouvernement avait annulé les élections législatives de 1992 et refusé, de fait, la victoire du FIS. Ce même gouvernement prétendait lutter contre ces terroristes mais, en réalité, il semblait incapable de protéger la population. Crimes et tueries continuaient, tant et si bien que de nombreux villages finirent par organiser eux-mêmes leur défense. L'État les soutenait en distribuant des armes aux hommes qui souhaitaient défendre leur famille et leurs terres. L'armée vint également les aider, poursuivant dans le maquis les groupes de terroristes qui s'y réfugiaient.

Aujourd'hui, après plus de dix années de guerre civile, le calme semble revenu dans le pays. Mais c'est un calme fragile, car l'attitude du gouvernement n'a pas véritablement changé : la démocratie n'existe toujours pas. L'armée a seulement éliminé les terroristes qui auraient voulu, par leurs actions sanglantes, plonger le pays dans une guerre civile assez sauvage pour renverser le gouvernement.

Sans bruit, Ikram quitte la chambre et se glisse dans la cour. Il se lave rapidement à la cuvette remplie d'eau laissée par son père. L'air frais, piquant, le fait frissonner, mais il aime l'odeur de terre que le vent lui apporte. À travers les giclures d'eau qui inondent son visage, il voit le soleil dessiner d'un trait rosé les contours des montagnes encore plongées dans l'ombre.

Sa mère l'appelle pour le petit-déjeuner : une galette, un beignet, un verre de café très léger qui réchauffe tout le corps. Ikram sait qu'il doit se dépêcher s'il veut pouvoir monter dans le bus qui emmène les enfants des villages avoisinants à l'école.

Sur le chemin étroit qui dévale la pente vers la route, Ikram se met à courir. Il distingue en contrebas une troupe d'enfants qui piétinent sur le bas-côté. Ils sautillent pour se réchauffer, tendent le bras à l'adresse des rares voitures qui circulent. Ikram comprend qu'il arrive trop tard : le bus est déjà passé.

Ikram va devoir aller à Aïn Témouchent, la ville où se trouve l'école, en faisant du stop. Il y a plus de 25 kilomètres à faire : impossible de marcher jusque-là ! Ils partent par deux ou trois, pour ne pas se trouver seuls avec des inconnus dans la voiture qui les prendra en stop. Personne ne sait exactement à quelle heure passe le bus. C'est une chance lorsqu'on arrive à le prendre. Les transports collectifs ne marchent pas bien en Algérie. Ils sont trop peu nombreux depuis que le gouvernement a décidé de réduire les dépenses de l'État.

Les bus ne sont pas seuls concernés : des écoles ont fermé, car il n'y a pas d'argent pour payer les enseignants. Les enfants sont donc obligés d'aller de plus en plus loin et de se lever de plus en plus tôt pour aller en classe. Certains abandonnent et font « l'école buissonnière ». Sans rien dire à leurs parents, ils ne vont plus en classe. Mais le père d'Ikram surveille son garçon et se renseigne à l'école pour savoir s'il est présent. Pour lui, l'école est très importante, encore plus depuis qu'il sait que la classe d'Ikram doit avoir un nouveau professeur de français. Le père d'Ikram pense que son fils doit bien parler cette langue s'il veut, plus tard, aller travailler en France comme ses oncles.

Arabe, kabyle, français : les langues d'Ikram

La famille d'Ikram parle le *tamazight*, comme beaucoup de familles dans la région.

Le *tamazight* est l'une des nombreuses langues berbères parlées par une partie des Maghrébins, en Algérie, mais aussi au Maroc, en Tunisie, en Mauritanie et jusqu'en Libye. Les langues berbères sont même parlées au-delà du Maghreb, au Mali par exemple. En Algérie, les berbérophones représentent un peu moins d'un tiers de la population (27,4 %).

Les Berbères étaient les premiers habitants du Maghreb. Tout au long de l'histoire, ils se sont mélangés avec d'autres populations : des Arabes, des Noirs-Africains, des Turcs, des Européens. Il n'est pas possible de parler aujourd'hui de « peuple berbère ». Cela ne correspond ni à une ethnie ou à une nationalité par le sang, ni à un peuple organisé politiquement comme le sont les Algériens. Il y a des Algériens qui sont de culture berbère (ils parlent une langue berbère ainsi que l'arabe). Les Kabyles, eux, sont des Algériens de Kabylie parlant des langues berbères. Il n'est pas possible non plus de parler d'une seule culture berbère car, comme pour les langues, il y a de multiples traditions régionales berbères.

Les Mozabites, par exemple, sont des Algériens de la région du Mzab, qui ont leur langue, le *mozabite* (classée dans la famille des langues berbères) et leurs traditions culturelles propres.

Aujourd'hui, les langues berbères sont surtout des langues parlées, on ne les écrit pas. La seule écriture berbère qui survit est celle des Touaregs (population nomade du Sahara) : le *tifinag*. Mais, dans certaines régions de langue berbère, les gens cherchent à écrire à nouveau leur langue. Les Kabyles utilisent pour cela l'alphabet latin. Au Maroc, on utilise l'alphabet arabe, alors que au Mali et au Niger, les gens utilisent l'alphabet touareg. Cette diversité ne permet pas aux langues berbères de devenir de « grandes langues » parlées et écrites par tous.

La langue commune à tous les Algériens est l'arabe. Cette langue a été introduite, en même temps que l'islam, par les Arabes qui ont conquis le Maghreb entre le VIIe et le VIIIe siècle. L'arabe, langue de la religion, est devenue celle de l'État et de l'administration. Tous les Algériens qui sont allés à l'école connaissent en principe l'arabe. C'est même la langue commune à l'ensemble des pays du Maghreb et du Moyen-Orient, de l'Égypte à l'Irak. Cela ne veut pas dire que tous ces pays parlent le même arabe. Les Maghrébins parlent un arabe un peu différent selon qu'ils viennent d'Algérie, du Maroc ou de Libye. Il existe ainsi un arabe algérien, un arabe marocain, un arabe libyen, etc. Mais, si le vocabulaire et l'accent changent un peu d'un pays à l'autre, c'est le même alphabet qui est utilisé dans tout le monde arabe.

À l'école, les jeunes Algériens apprennent en arabe, mais les habitants de Kabylie ont obtenu du gouvernement que le *tamazight* soit aussi enseigné dans les collèges et les lycées. Son enseignement est facultatif, comme l'enseignement des langues régionales en France. De plus, en réalité, très peu d'écoles sont assez riches pour payer un enseignant qui se charge de cette matière. Les élèves qui apprennent à écrire cette langue sont donc peu nombreux. Par contre, ils apprennent tous le français, dès la deuxième année de primaire. Le français est une langue importante car, à l'université, les études scientifiques (physique, chimie, médecine, etc.) se font en français seulement.

En Kabylie, les enfants parlent ainsi trois langues : une langue berbère à la maison ; l'arabe et le français à l'école. Ils apprennent à lire et à écrire au moins deux langues : l'arabe et le français. C'est difficile. D'ailleurs, il arrive qu'en grandissant, les enfants ne maîtrisent ni l'arabe ni le français. Mais cela peut être aussi une grande chance et une grande richesse lorsque toutes ces langues sont bien enseignées et apprises.

Pour Ikram et son père, parler français est important, car les trois oncles d'Ikram travaillent et vivent en France. Ils envoient régulièrement de l'argent en Algérie.

Grâce à eux, le père d'Ikram a fait agrandir la maison en construisant trois chambres. Ainsi, lorsque les oncles viennent avec les cousins et les cousines en vacances, ils peuvent se loger. Le reste du temps, la famille d'Ikram profite de l'espace. Les parents ont une chambre pour eux et la grande sœur d'Ikram, Fadila, a pu se marier.

En Algérie, plus de la moitié des mariages sont arrangés par les parents et il arrive souvent que les mariés ne fassent connaissance que le jour de leur mariage. Fadila, elle, a choisi librement son mari. Elle a même refusé de donner à la famille de son mari un certificat de virginité, c'est-à-dire un document établi par un médecin prouvant qu'elle n'avait jamais eu de relations sexuelles avec un homme avant son mariage. Lorsque leur fils se marie, de nombreuses familles exigent ce certificat de leur future belle-fille : cela prouve qu'elle n'a connu aucun autre homme et qu'elle ne portera que l'enfant de son mari.

Le principal problème que rencontrent les jeunes lorsqu'ils veulent se marier est celui du logement. Pour se sentir bien, il leur faut au moins

une pièce pour eux seuls. Bien sûr, le mieux est de pouvoir disposer d'une maison à soi, mais c'est quasiment impossible. Chaque année, il manque près d'un million de nouvelles habitations en Algérie. Les familles ne sont pas assez riches pour faire bâtir des maisons et, en ville, les logements construits par l'État sont trop peu nombreux. Les

familles s'entassent donc dans des pièces uniques, parfois à sept ou huit personnes lorsqu'elles sont très pauvres. À la montagne ou à la campagne, le problème du logement est moins gênant qu'en ville : lorsqu'il fait chaud, on peut toujours s'installer sur la terrasse, ou même dehors ! Fadila a eu de la chance. Grâce à ses oncles, elle a pu disposer d'une pièce construite à l'arrière de la maison.

Avoir de la famille émigrée en France permet donc de faire bien des choses qui seraient impossibles avec les seuls revenus des parents d'Ikram. Mais il n'est pas pour autant facile d'avoir une partie importante de la famille à l'étranger. D'abord, les habitudes de ceux qui sont partis vivre à l'étranger changent. Ikram le voit bien avec ses cousins : lorsqu'ils viennent pour l'été, Ikram les sent de plus en plus désorientés et en même temps un peu méprisants pour sa vie de campagnard. Ils semblent s'ennuyer. Les animaux ne les intéressent plus, ni la beauté des montagnes et des ciels. Ils méprisent même les bonnes galettes chaudes tout juste sorties du four. Ils se plaignent auprès de leurs parents de n'avoir pas tous les produits qu'ils ont l'habitude de trouver en France. Ils se sentent supérieurs parce que ce sont eux qui apportent, à chaque fois, les dernières nouveautés : robots ménagers, jeux vidéo, DVD… Ikram se console un peu en se disant que, autour de lui, c'est la même chose : tous ses amis ont des membres de leur famille à l'étranger. Ils connaissent les mêmes problèmes.

En grandissant, Ikram a compris qu'il habitait une région très particulière de l'Algérie. Entre le VIIe et le XIXe siècle, la Kabylie a souvent été le foyer de révoltes contre le pouvoir installé à Alger, qu'il soit arabe ou turc.

Pendant la colonisation française, à partir de 1830, la Kabylie a subi très fortement cette présence étrangère. Les Français se sont installés en grand nombre dans la région. Ils ont ouvert des écoles et, même si, à l'époque, fort peu d'Algériens y étaient admis, ils furent plus nombreux en Kabylie qu'ailleurs dans le pays. Les habitants de cette région ont donc été plus influencés par la culture française que les autres Algériens.

Après l'indépendance, la confiscation du pouvoir par l'armée, l'absence de liberté politique et de démocratie ont déçu de nombreux Kabyles. Aujourd'hui, la Kabylie réclame un partage plus juste du pouvoir entre tous les partis politiques, ainsi qu'une véritable liberté de parole.

Les Kabyles veulent pouvoir exister pleinement en Algérie. Pour cela, ils demandent à ce que leur langue soit reconnue comme langue officielle, au même titre que l'arabe. Pour réclamer ces changements, les jeunes gens vont dans la rue et manifestent. Cela fait peur à Ikram, car, à l'occasion d'une manifestation, le malheur s'est abattu sur la famille des voisins.

Ceux-ci avaient un fils aîné, Rachid, le meilleur ami du grand frère d'Ikram. Pour Ikram, Rachid était un modèle, celui aussi qui, sans être de la famille, était assez proche pour savoir écouter les questions que l'on a honte de poser à son père. Par exemple, ce qu'il faut penser de Dieu, ou comment faire, à l'école, pour attirer l'attention de la jolie Yasmina. Seul Rachid prenait le temps d'expliquer à Ikram pourquoi il allait en ville pour manifester. Il lui disait que les hommes politiques à Alger devaient laisser chaque citoyen voter librement le jour des élections, et respecter ensuite son choix.

Au printemps 2001, Rachid est parti en ville pour soutenir, disait-il, la cause kabyle. Il en est revenu sur une litière. Après avoir attaqué la caserne de gendarmerie avec d'autres jeunes, il a eu le crâne traversé par une balle tirée par un gendarme. Ses amis ont voulu le conduire à l'hôpital, mais il est mort avant même d'y parvenir. Ikram tremble encore en se rappelant le retour de Rachid. Sa dépouille (le corps du mort) a d'abord été déposée dans la petite mosquée du village. Le *muezzin*, l'homme chargé d'appeler les fidèles à la prière, a averti les habitants. Tout le hameau s'est réuni pour réciter, debout, la prière de l'Absent, celle qu'on dit tradition-nellement pour les morts. Puis le corps a été ramené dans la maison de Rachid. Les hommes sont sortis pour que les femmes, restées seules, puissent pleurer le mort.

Plus tard, tous ont accompagné le corps au cimetière, à une dizaine de kilomètres du village. La famille et les amis ont marché pendant deux heures au milieu des oliviers et des orangers, avant d'enterrer Rachid, sans cercueil, comme le veut la tradition, après une dernière prière.

★ *La mort*

Ikram ne sait pas très bien ce qu'est la mort. L'absence de Rachid, qu'il voyait presque chaque jour, le plonge dans une inquiétude qu'il essaye de fuir.

Il se remémore alors ce qu'il sait sur la mort, lorsqu'il ne parvient pas à oublier : elle est décidée par Allah (Dieu), mais le texte sacré de l'islam, le Coran, ne dit pas précisément ce qu'elle est. Lorsque l'homme meurt, Dieu reprend une partie de son âme, ou de son esprit, qu'il ne lui rendra qu'au moment de sa résurrection, c'est-à-dire lorsqu'il reviendra à la vie. Le mot « résurrection » se dit *ba'th* en arabe. Selon certains, la résurrection dont parle le Coran n'est que celle de l'âme. Pour d'autres croyants, c'est aussi celle du corps. Ikram espère que la résurrection de Rachid le ramènera en entier, corps et âme, et si possible très rapidement. Mais lorsqu'il a un jour osé évoquer cette possibilité avec son père, celui-ci lui a lancé un tel regard que le garçon a compris qu'il faisait fausse route. Il faut peut-être comprendre autrement la résurrection, se dit-il : ce ne sera que le retour de l'âme, ou un souvenir très fort, tout simplement.

Depuis, Ikram n'espère plus le retour de Rachid et, pour cette raison, il ne veut plus penser aux causes de sa mort. En ville, il fuit les attroupements. Contrairement à certains de ses camarades, les manifestations ne l'emplissent d'aucune joie. Plutôt que de rejoindre ses amis dans les rues de Aïn Témouchent, il préfère aider son père à soigner les bêtes, observer la naissance des veaux, des chevreaux et des agneaux au printemps. Les moutons sont sa grande fierté. En les voyant s'arrondir dans leur manteau de laine, il ne peut s'empêcher de penser à ce que disait son grand-père lorsqu'il était encore vivant : il ne cessait de répéter que le troupeau de moutons était la véritable richesse du paysan, son compte en banque, plus précieux que les pièces de monnaie enfouies dans les *matmoras*, ces cachettes creusées dans le sol. D'ailleurs, il n'y a encore pas si longtemps, la tradition voulait que le grand-père ou l'oncle d'un nouveau-né donne à sa mère un mouton. C'était, disait-il, le livret de caisse d'épargne de l'enfant.

Devenir médecin

Avec la mort de Rachid, Ikram a découvert l'impuissance des hommes.

Si Rachid avait été soigné à temps, si, par exemple, il y avait eu un médecin parmi ses amis, il ne serait peut-être pas mort… En y pensant, Ikram prend la décision de devenir médecin. Il pourra alors lutter pour que d'autres hommes, comme Rachid, ne meurent pas. Lorsqu'il en parle à son père, celui-ci est à la fois triste et satisfait. Il est triste, car cela veut dire qu'Ikram ne reprendra pas la ferme. Mais il est aussi satisfait, car exercer la médecine est un bon métier, utile et nécessaire. De plus, Ikram pourra, avec l'aide de ses oncles, faire une partie de ses études en France. Après les avoir terminées, il travaillera où il voudra : en Algérie ou en France.

Bien sûr, le père préférerait qu'Ikram vive près de lui, en Algérie, mais il sait aussi que, dans son pays, les hôpitaux publics sont très pauvres. Tout manque. De plus, certains médecins sans scrupule volent le matériel dans les hôpitaux pour le revendre très cher dans leur cabinet privé. S'il veut pouvoir exercer la médecine le mieux possible, Ikram devra travailler à son compte, pas à l'hôpital. Or son père sait qu'il n'aura pas l'argent nécessaire pour lui permettre d'ouvrir un cabinet privé. À moins de demander de l'aide aux oncles, encore une fois…

Un seksou, *pour fêter la décision d'Ikram*

La mère d'Ikram est fière de la décision de son fils. Elle décide de faire un *seksou* (couscous) pour fêter cela.

Le couscous est une tradition culinaire berbère, répandue dans tout le Maghreb. Le vrai *seksou*, qui est un couscous frais, nécessite une très longue préparation. La mère d'Ikram verse de la semoule de blé et de l'eau salée dans un grand plat de terre. Puis, soigneusement, elle malaxe le mélange avec un peu de farine. Chaque grain, séparé des autres, grossit doucement. Pour parfaire la séparation des grains, elle place la semoule dans un tamis qu'elle secoue. La préparation sèche quelque temps avant d'être malaxée et tamisée de nouveau. La mère ajoute souvent un peu d'huile, mais ce n'est pas obligatoire. À l'odeur de blé fraîchement écrasé se mêle alors celle de l'olive.

Lorsque les grains sont parfaitement formés, bien séparés, ils sont placés dans la passoire du couscoussier et cuisent à la vapeur, au-dessus d'un bouillon de légumes. Au moins deux fois encore, la semoule est sortie de la passoire pour être de nouveau malaxée avec un peu d'eau, parfois de l'huile ou même du beurre.

Le *seksou* est alors incomparable : il n'est ni sec, ni épais, ni bourratif comme la semoule de couscous que l'on trouve en paquet dans les épiceries. Il est moelleux, fluide. Il glisse dans le gosier comme une pluie qui porte à la fois la saveur des légumes, celles de l'olive et du blé tiède. On ne sait plus, de la viande ou de la semoule, ce qui est le meilleur. Après un tel repas, Ikram s'effondre sur son lit et tombe dans un sommeil que plus rien ne peut troubler.

Amina vit à Alger

Alger, où vit Amina, est une immense ville blanche adossée aux collines qui bordent la mer. Les beaux quartiers se trouvent sur les hauteurs, et Amina, de sa maison, domine toute la baie. Elle voit le port et ses bateaux imposants qui restent plusieurs jours à quai avant de repartir pour des pays qui la font rêver. Elle voit la Casbah (la vieille ville fortifiée) et ses ruelles serrées, les dômes arrondis de Notre-Dame-d'Afrique, la grande église catholique, les minarets pointus des mosquées, ces tours à partir desquelles le *muezzin* lance l'appel à la prière. Elle aperçoit même les jardins en gradins du Palais du gouvernement, où travaille son père. Elle est fière d'habiter cette ville immense et pleine de vie, même si, depuis quelque temps, elle a découvert, avec son amie Sonia, à quel point certains habitants sont privilégiés et d'autres terriblement pauvres.

 ## Une belle villa d'où l'on voit la mer

C'est la première fois qu'Amina invite sa meilleure amie, Sonia, à venir chez elle. Sonia est impressionnée par les hauts murs qui entourent le jardin. Intimidée, elle suit Amina de très près et lui demande encore une fois si elle est bien certaine qu'elles seront seules. Amina n'a pas osé présenter sa nouvelle amie à ses parents. Sonia vient d'un des quartiers les plus pauvres de la ville et Amina pense que ses parents préféreraient la voir avec des enfants plus riches. Mais Amina aime beaucoup Sonia. Elle est si jolie, si intrépide, si tranchante dans ses réactions.

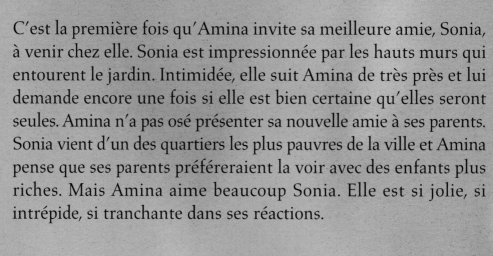

Les deux filles entrent dans le jardin. Il est vert, odorant. Amina pousse une lourde porte, pénètre dans la maison. Elle est silencieuse et fraîche. Sonia est émerveillée par la taille des pièces : l'entrée si longue, le salon et la salle à manger immenses, lumineux, la cuisine où tout est rangé, immobile. La chambre d'Amina fait, à elle seule, la taille du salon de la maison de Sonia dans le centre-ville. La journée, le salon de Sonia est encombré par les matelas de ses frères qui s'entassent contre le mur, par la table qui sert à la fois pour manger et faire les devoirs. Le père de Sonia travaille dans un garage. Le soir, il arrive qu'il utilise aussi la même table pour poser les moteurs qu'il n'a pas eu le temps de réparer dans la journée. Chez elle, Sonia dort sur le sol de la cuisine avec ses deux sœurs et sa mère.

Après avoir montré à Sonia, admirative, tous les recoins de sa maison, Amina prend un peu d'argent dans sa tirelire. Les deux filles ont décidé d'aller en ville. Peut-être Amina trouvera-t-elle un cadeau à offrir à Sonia.

L'eau, le hammam et la salle de bains

Les deux amies se sont rencontrées aux portes d'un *hammam*. Sonia en sortait, et Amina, qui quittait l'école, s'était arrêtée pour écouter, de loin, les femmes et les jeunes filles rire ensemble.

Le *hammam* est un établissement de bains, hérité des coutumes antiques. On s'y baigne entre femmes ou entre hommes. Certains *hammams* sont réservés aux hommes, d'autres aux femmes. Il peut aussi arriver qu'un même *hammam* soit réservé certains jours aux hommes et d'autres jours aux femmes. On se nettoie en utilisant la vapeur de l'eau qui ramollit la peau et fait transpirer. La chaleur des pièces doit être très forte pour que l'eau s'évapore (50 °C). Afin de pouvoir la supporter, les baigneurs passent progressivement d'une pièce tiède à des pièces de plus en plus chaudes. Des essences d'eucalyptus et de pin montent dans la vapeur d'eau et parfument les corps. La *harza,* une femme qui aide les baigneuses à se laver, est aussi là pour faire des massages.

Pour Amina, ces moments de détente au hammam avec ses amies sont bien plus gais que la solitude de la salle de bains de la maison. Pourtant, elle sait qu'elle a la chance d'avoir, chez elle, presque autant d'eau qu'elle veut. Avec Sonia, Amina a découvert que la majorité des habitants d'Alger doivent supporter des coupures d'eau qui peuvent durer jusqu'à deux ou trois jours. Il ne pleut pas assez en Algérie pour que toute la population puisse avoir de l'eau en permanence. Mais, en plus, la distribution de l'eau est mal organisée et ce sont les pauvres qui en souffrent le plus. Amina se souvient d'ailleurs que dans son ancienne école, une école publique, l'eau manquait souvent. Dans sa nouvelle école, une école privée, le manque n'est pas aussi fréquent.

Amina a dû changer d'école car les « isla-mistes », ces hommes barbus au visage sévère, qui veulent imposer à tous une pratique rigoureuse de la religion, sont venus jusque dans l'école pour exiger que les filles se voilent.

Lorsque Amina a raconté cela à ses parents le soir, sa mère s'est mise en colère et a exigé qu'Amina change d'école. Quelques mois après, elle a été envoyée dans une école privée. L'école est bien gardée, personne n'y entre sans raison. Dans les écoles privées, tous les cours sont donnés en français. Certaines familles riches préfèrent cela car elles souhaitent que leurs enfants poursuivent leurs études en France ou bien qu'ils fassent, en Algérie, des études scientifiques, dont les cours sont dispensés

uniquement en français. Les parents d'Amina pensent surtout que leur fille est mieux protégée dans une école privée. Ils souhaitent qu'elle continue à étudier l'arabe et lui font prendre des leçons particulières.

Le père d'Amina, bien que riche, rappelle régulièrement à sa fille qu'elle doit travailler car l'école coûte 15 000 dinars par mois. Une somme pareille est impensable pour Sonia, dont le père gagne à peine 17 000 dinars par mois. Et encore fait-il, après sa journée au garage, de multiples réparations pour des amis et des connaissances. Le loyer du minuscule logement de la famille de Sonia coûte à lui seul 10 000 dinars ! Heureusement que le père de Sonia s'est entendu avec le propriétaire pour s'occuper de sa voiture, en échange de quoi le prix du loyer est moins élevé.

D'après Sonia, le voile n'est pas un si grand problème. Il suffit de le porter lorsque c'est indispensable et de l'enlever dès que possible. Dans son quartier, si une femme ne le porte pas, elle est souvent agressée ou insultée. La mairie du quartier est en effet dirigée par des hommes proches de l'ancien Front islamique du salut, le FIS, un parti politique aujourd'hui interdit par le gouvernement. Si les familles veulent bénéficier des aides sociales, il vaut mieux que leurs filles portent le voile, comme le demandent les islamistes du FIS.

Les islamistes veulent que la charia, c'est-à-dire la loi musulmane, règle la conduite des gens dans le pays. Cette loi musulmane comprend tout ce que dit le Coran et la tradition du Prophète pour organiser la vie des sociétés, ainsi que les pratiques religieuses. Comme ce qu'elle dit est très général, et date d'il y a plusieurs siècles, chaque pays musulman s'inspire de cette charia pour élaborer des lois pour sa propre société. Ces vieux textes sont donc interprétés par ceux qui veulent les appliquer. Bien sûr, les interprétations varient d'un gouvernement à l'autre, d'un parti politique à l'autre et même d'un homme à l'autre.

Page du Coran.

Page du Coran.

Pour les islamistes, les femmes ne deviennent jamais des personnes majeures, adultes. Après avoir été dépendantes de leur père, elles le deviennent de leur mari qui, seul, prend toutes les décisions importantes. Il faut que les femmes, comme les jeunes filles, sortent le moins possible de leur maison. Elles ne peuvent donc pas travailler à l'extérieur. Le seul rôle qui soit digne d'elles est celui d'épouse et de mère. Lorsqu'il leur faut néanmoins sortir, pour faire certaines courses, par exemple, elles doivent être cachées dans leur voile, afin d'éviter que le regard d'hommes inconnus ne se pose sur elles.

Sonia considère que ceux qui pensent ainsi sont des fous. Elle explique à Amina qu'à l'avenir, si les islamistes sont toujours aussi présents dans son quartier, elle compte faire comme sa grande sœur, qui, pour aller à l'université, s'habille en garçon ! Une fois dans l'enceinte du bâtiment, elle enlève son déguisement et retrouve son allure de fille.

Voir la religion autrement

Ni Amina, ni sa grande sœur, ni sa mère n'acceptent de se voiler. La mère d'Amina explique à sa fille que ce n'est pas être mauvaise musulmane que de refuser de porter le voile.

Pour elle, une musulmane moderne est simplement une femme qui croit en Allah (Dieu). D'ailleurs, la mère d'Amina n'oblige même pas ses filles à croire en Dieu. C'est à elles de décider. Elles seules, également, décident de la façon de pratiquer leur religion : faire ou ne pas faire la prière, jeûner ou non pendant le mois de Ramadan. Le mois de Ramadan est le neuvième mois du calendrier musulman, c'est le mois au cours

duquel le Coran fut révélé au prophète Mohammed (Mahomet). Les musulmans ont adopté le calendrier lunaire, c'est-à-dire que, pour eux, un mois est égal au nombre de jours qui séparent deux nouvelles lunes. L'année lunaire comprend onze jours de moins que l'année solaire. C'est la raison pour laquelle, chaque année, les fêtes musulmanes, si l'on tient compte de notre calendrier solaire, ont lieu onze jours plus tôt que l'année précédente.

Amina ne fait pas la prière, sauf celle du vendredi à la Grande Mosquée. Depuis qu'elle connaît Sonia, elles se retrouvent là-bas chaque semaine et se sourient de loin.

Parmi les obligations de l'islam (les actes qui doivent être accomplis par un musulman pratiquant), il y a les cinq prières quotidiennes. La première se fait à l'aube, avant l'apparition du soleil, la seconde à midi, lorsque le soleil est au plus haut, la troisième au milieu de l'après-midi, la quatrième au coucher du soleil et la dernière pendant le premier tiers de la nuit. Ces cinq prières sont celles que l'on peut faire seul ou en famille, à la mosquée, à la maison ou au travail, pour penser à Dieu et se soumettre à lui. Par contre, la prière du vendredi rassemble à la mosquée toute la communauté, les habitants d'un même quartier ou d'une même ville.

Amina aime bien le mois de Ramadan : c'est un mois où l'on se purifie en jeûnant. On manifeste ainsi sa soumission et son obéissance à Allah. Après le coucher du soleil, elle partage avec sa famille et leurs amis les délicieux repas que sa mère prépare longuement. Pour faire le Ramadan, il faut en effet cesser de manger et de boire du lever au coucher du soleil, sauf si l'on est malade. On se lève donc très tôt pour un petit-déjeuner plus copieux que d'habitude, puis on n'absorbe plus rien jusqu'au soir et, à la nuit tombée, on se régale de nouveau.

Le jeûne est une coutume qui date d'avant l'islam. À l'époque où vivait le prophète Mohammed, c'était une coutume juive que le fondateur de l'islam a adoptée pour que les tribus juives n'entrent pas en guerre contre les musulmans.

⭐ *Devenir des femmes libres*

La mère d'Amina explique à ses filles combien le voile, en Algérie, est un moyen pour maintenir la femme dans une position inférieure et dépendante.

Les islamistes ne sont pas les seuls responsables de la situation des femmes, leur explique-t-elle aussi. Si elles manquent de liberté, si on les oblige souvent à rester à la maison, c'est aussi en raison du « Code de statut personnel », une loi algérienne qui organise la condition des femmes dans la société. Ce code ne vient pas des islamistes, mais des hommes qui ont dirigé l'Algérie depuis l'indépendance du pays. En fait, tous les gouvernements qui se sont succédé depuis l'indépendance ont jugé bon d'appliquer les préceptes musulmans les plus rétrogrades à la condition des femmes. Ils disent tous la même chose : les femmes doivent évoluer « dans le respect des traditions ».

Et les traditions sont terribles. Les femmes ne sont pas considérées comme les égales des hommes. Si un mari n'est pas satisfait du comportement de sa femme, il peut la « répudier », c'est-à-dire la chasser de leur maison. Il lui suffit de prononcer trois fois la phrase : « Je te répudie. » Le divorce existe, les femmes peuvent le demander, mais rares sont celles qui le font, car elles craignent de ne pas savoir se défendre devant le juge. L'homme a aussi le droit de prendre plusieurs femmes, alors qu'une femme ne peut

pas avoir plusieurs maris. Les femmes n'ont pas droit à la même part d'héritage que les hommes. Devant le juge, leur parole n'a pas la même valeur non plus…

Amina, elle, refuse de porter le voile lorsqu'elle sort. Aujourd'hui, pour sa promenade avec Sonia dans Alger, elle est tête nue, et la brise qui vient de la mer fait voler sa chevelure.

Chiner chez les « trabendistes »

Les deux filles sont arrivées rue Didouche, la grande rue commerçante d'Alger.

Toute la diversité de l'Algérie s'y rencontre : barbus en *gandoura* (longue robe blanche), hommes d'affaires en costume, adolescents en jeans, vieilles femmes en *djellaba* (robe traditionnelle de laine), jeunes femmes portant le voile, et d'autres, la chevelure au vent. On se presse autour des cafés où les anciens boivent le thé. Les jeunes préfèrent les pizzerias, très nombreuses sur l'avenue. Sur les trottoirs, les « trabendistes », ces jeunes qui font du *trabendo*, c'est-à-dire de la vente d'objets de toutes sortes, cherchent à attirer le client.

Il est très difficile de trouver un travail en Algérie pour les jeunes qui sortent de l'école, y compris ceux qui sont allés à l'université. Certains tentent de partir à l'étranger. D'autres se lancent dans le *trabendo*. Le mot vient de l'espagnol : *contrabando*, c'est-à-dire « contrebande ». En fait, il s'agit de commerce illégal, non soumis aux lois. Les jeunes Algériens qui font du *trabendo* vont à Naples, à Barcelone ou à Marseille et en reviennent avec des cargaisons de chaussures, de cigarettes, de DVD et de téléphones portables pour les revendre sur les trottoirs d'Alger. Certains vendeurs malins parviennent à bien gagner leur vie. Amina vient de voir une très jolie paire de chaussures en cuir fauve, avec de petits talons. Elle en discute le prix avec le vendeur qui, finalement, lui laisse deux paires identiques, une pour elle et une pour Sonia, pour le prix d'une seule paire. Toutes joyeuses, les deux amies rentrent chez elles.

Fouad et la soif du désert

Fouad habite à In Amenas, une cité où les gens vivent de l'industrie du pétrole. Son père y travaille, après avoir fait des études d'ingénieur à Alger. In Amenas n'est pas très loin du grand « *erg oriental* », un désert de dunes que l'on atteint lorsque l'on quitte les montagnes des Aurès et que l'on va droit vers le sud, vers le désert du Hoggar, que les Algériens appellent *Ahaggar*. En Algérie, le Sahara est constitué de deux sortes de déserts : celui des *ergs*, c'est-à-dire des dunes de sable qui alignent leurs courbes pures jusqu'à l'horizon, et le désert des *tassilis* ou des *hamadas*, d'immenses zones de pierres et de cailloux qui s'étendent, désolées, à l'infini. Fouad préfère les dunes. C'est sur l'une d'elles qu'il a dû grimper pour admirer le galop rapide d'une chamelle que le mari de sa sœur, qui vient de Dubaï (un État arabe), entraîne pour la course.

⭐ *La fête de l'Aïd el-fitr*

Ce matin, c'est la fête de l'*Aïd el-fitr*, qui marque la rupture du jeûne, à la fin du mois de Ramadan. Chaque année, Fouad vit ce jour dans l'excitation et l'allégresse. Il éprouve le contentement profond d'avoir pendant tout un long mois maîtrisé ses désirs, ses appétits. Après avoir quitté son lit, Fouad se lave les dents avec une tige de bois appelée *araak*. Il passe des vêtements neufs que sa mère lui a achetés pour l'occasion. Frais et propre, il déambule dans la maison, décorée pour la fête.

Sa mère a déjà placé plusieurs plateaux de pâtisseries que les amis viendront déguster avec du thé ou du café. Fouad les lorgne mais se retient encore. Il y a aussi, sur l'une des tables basses de la salle commune, des cartes colorées qui seront envoyées avec des souhaits de bonheur et de bonne santé à tous les membres de la famille éloignée : pour la sœur de Fouad et son mari à Dubaï, pour le frère de Fouad au Maroc, pour son oncle qui vit seul avec sa famille au bord du désert, à Essendilène, élevant des chèvres et quelques dromadaires.

Les parents de Fouad sont sortis pour payer la *zakat*, cette aumône que tout bon musulman doit donner chaque année pour les pauvres. Fouad les rejoint à la mosquée. Il écoute la *kutba* (le sermon) de l'*imam* (l'homme chargé de diriger la prière pour tous les fidèles), tout en rêvant déjà aux plats chargés de sucreries, au ventre brun, moelleux et bombé des dattes fraîches, aux cadeaux dont il a entrevu les emballages multicolores.

L'*Aïd el-fitr*, ou *Aïd el-saghir* (« Petite Fête »), est celle que les enfants préfèrent, car ils reçoivent des cadeaux à cette occasion. Mais ce n'est pas la fête la plus importante du point de vue religieux. L'*Aïd el-kebir* (« Grande Fête »), ou *Aïd el-adhâ* (« Fête du Sacrifice »), tient une place plus grande. Elle commémore le sacrifice d'Ibrahim (Abraham), ancêtre des musulmans, comme des juifs et des chrétiens. Une nuit, Ibrahim eut une vision dans laquelle Dieu lui demandait de sacrifier pour lui son fils Ismaël. En faisant ce sacrifice, Ibrahim prouverait à Dieu sa soumission et son attachement. Ibrahim se prépara à faire ce que Dieu lui demandait. Mais, au moment de poser la lame du couteau sur la gorge de son fils,

Ibrahim fut interpellé par un ange qui, à la place de l'enfant, lui remit un mouton à égorger. Il le récompensait ainsi de son obéissance et de son dévouement à Dieu. L'*Aïd el-kebir* est donc la fête au cours de laquelle les musulmans sacrifient un mouton pour montrer leur attachement à Dieu. C'est pourquoi cette fête est aussi appelée « fête du mouton ».

 ## L'arrière-grand-père nomade

L'arrière-grand-père de Fouad, qui vit avec lui et ses parents, ne peut presque plus bouger. Deux fois par jour, aidé par le père, il va des coussins de la salle commune au matelas posé sur le sol d'une petite chambre ouverte sur le salon.

En ce jour de fête, Fouad lui apporte régulièrement des pâtisseries et des dattes afin qu'il se régale comme toute la famille. Le vieil homme, presque aveugle, l'en remercie d'un signe discret. Adossé au mur, très droit dans son *sarouel* propre (blouse et pantalon blancs), il tient sa tête avec noblesse, devinant aux bruits qui l'entourent le déroulement de la

fête. Après avoir entassé une réserve de gâteaux sur un petit plateau, Fouad en profite pour s'asseoir confortablement près de lui. Le vieil homme connaît ce signe : son arrière-petit-fils attend qu'il lui raconte une histoire du désert, qu'il lui parle de leurs ancêtres, Touaregs et esclaves noirs du côté du père de Fouad, Bédouins du côté de la mère.

Toute la famille de Fouad était nomade, à l'époque où l'arrière-grand-père était jeune. Un nomade est quelqu'un qui vit en se déplaçant. Il habite sous une tente qu'il peut installer où bon lui semble en fonction de son voyage. Il se déplace pour transporter des marchandises à dos de dromadaire, par exemple. Il peut aussi se déplacer pour trouver, selon les saisons, des pâturages pour ses animaux. Il doit surtout trouver de l'eau – c'est la chose la plus importante – dans le désert. Un proverbe touareg dit d'ailleurs : *Aman, iman,* « L'eau, c'est l'âme ».

La fin des caravanes

Au Sahara, ce grand désert qui sépare l'Afrique du Nord de l'Afrique noire, il y a plusieurs sortes de nomades.

Les Touaregs vivent dans le Hoggar. On les appelle les « hommes bleus » en raison de la couleur de leurs vêtements. Ce sont sans doute les plus anciens nomades du Sahara. Les caravanes touarègues traversaient le désert du nord au sud et du sud au nord, accompagnées d'esclaves capturés en Afrique noire. L'esclavage a été interdit en Algérie en 1912. Petit à petit, les camions ont remplacé les chameaux pour le transport des marchandises dans le désert. Les nomades touaregs et leurs anciens esclaves se sont alors installés dans les oasis, ces champs de palmiers qui poussent grâce à une source, au milieu du désert, et dans les cités qui jalonnaient le désert algérien.

Avec la conquête du Maghreb par les Arabes au VIIe siècle, les nomades du désert d'Arabie, appelés les « Bédouins », se sont installés dans le Sahara. Ils ont apporté les valeurs de leur contrée d'origine : l'Arabie. Mais ces valeurs, tels le courage, la solidarité familiale, le sens de

l'honneur, sont aussi celles des Touaregs, comme si la vie dans le désert formait des hommes très semblables. L'arrière-grand-père de Fouad a vu les dernières caravanes sillonner les sables. Puis le grand-père de Fouad a dû abandonner les chameaux. Il a tenté de survivre en faisant de l'élevage, mais, en voyant disparaître la vie traditionnelle du désert, il a poussé le père de Fouad à faire des études. Celui-ci, devenu ingénieur, travaille aujourd'hui dans l'exploitation du pétrole et du gaz de la région.

Du pain cuit dans le sable

Fouad se dépêche. Il a eu beaucoup de mal à se réveiller, car la fête s'est terminée tard dans la nuit. Il est en retard et se met à courir.

Le soleil n'est pas encore levé. Son père l'a déposé à une dizaine de kilomètres de la cité, en bordure des dunes. Il doit rejoindre l'hôtel construit à la frontière du désert, quelques années auparavant. Le désert attire un nombre toujours plus important de touristes. Pour la première fois, Malik, un ami de son frère, qui conduit des touristes dans le désert, a accepté de le prendre avec lui pour accompagner les dromadaires. Il s'agit de conduire les bêtes, de les décharger et de prendre soin d'elles à l'heure du déjeuner et pendant le repos du soir. Il lui faudra aussi préparer la cuisine pour les clients. Mais Fouad pense plus aux dromadaires qu'aux touristes. Son arrière-grand-père lui a déjà parlé des trois principales races : le *marrouki*, une bête robuste, à la robe foncée ; l'*azzerghaf*, un dromadaire sourd, aux yeux bleus, très bon marcheur, et, enfin, le *mehri*, cette bête blanche, plus fine que les deux autres, réputée pour la course. Sans la connaître vraiment, la préférence de Fouad va à cette dernière race. Mais il sait que, pour les touristes, il n'y aura que des *marroukis*.

Essoufflé, le garçon parvient enfin à l'hôtel, où l'attendent Malik et son groupe. Le soleil vient de passer l'horizon. L'air tiédit rapidement. Malik l'apostrophe : « Toi qui veux devenir nomade et vivre avec les chameaux, dis-nous voir si cet animal est plutôt rapide et nerveux comme le cheval, ou plutôt placide et docile ? »

Fouad s'immobilise et reste muet. Il a admiré la formidable rapidité de la chamelle blanche de son beau-frère dans les sables mais, en voyant les bêtes couchées sous leur charge, fixant le vide d'un œil morne, il ne sait plus. Il lance à Malik un regard suppliant. Celui-ci répond : « Vous allez tous le deviner après avoir entendu cette histoire :

Un bédouin faisait sa sieste dans le désert après une dure marche. En s'éveillant, il ne retrouve plus son chameau. Inquiet, il le cherche et finit par le trouver assez loin, immobile au bout de sa corde qui semble fixée dans la terre. Le bédouin s'approche et découvre que la corde du chameau entre dans le trou d'une gerboise (une souris du désert). Obéissant et sage, le chameau s'est laissé entraîner par une petite souris !

Voilà, vous savez tout sur la nature des chameaux », conclut-il.

Soulagé, Fouad rit avec les touristes. Il pense déjà à la *chorba* touarègue qu'il préparera pour le soir. On trempe dans cette soupe épaisse la *taguella*, du pain cuit dans le sable. On allume un feu avec quelques branchages secs. On rassemble ensuite les braises. On les dépose au fond d'un trou creusé dans le sable et, par-dessus, on étend la pâte du pain juste pétrie. La pâte est finalement recouverte de braises, puis de sable. Le pain cuit ainsi doucement, à l'étouffée. Quand on le sort, il est tout chaud et porte l'odeur du bois brûlé. Il a aussi le goût, subtil et sec, du sable que l'on sent parfois sous la dent.

⭐ Chamelles de course

La vie nomade n'existe plus.

Fouad le sait. Comme son arrière-grand-père, il le regrette. C'est cette vie de grand voyageur qu'il aurait aimé mener, le jour sous le soleil implacable et la nuit dans le froid d'un ciel immense, étiré jusqu'à l'horizon. Les Touaregs et les Bédouins vivent aujourd'hui en cultivant la terre et en élevant des animaux pour la viande et le lait. Dans les oasis, nombreux sont ceux qui produisent des dattes. C'est une des principales richesses agricoles de l'Algérie.

Les Touaregs et les Bédouins qui ne sont pas totalement sédentarisés, c'est-à-dire définitivement installés dans un village ou une oasis, ne sont plus que des « semi-nomades » : ils se déplacent encore avec leur troupeau mais seulement sur de courtes distances pour trouver, au nord, un herbage plus fourni pendant la saison sèche. Parmi ces familles, les enfants sont de plus en plus nombreux à trouver des emplois dans le tourisme. Le désert attire en effet beaucoup d'Européens. Les hôtels se multiplient, et l'on peut utiliser les dromadaires pour parcourir le Sahara et retrouver un peu la vie des anciens nomades. Fouad sent bien qu'il devra choisir entre le tourisme et l'élevage, s'il veut rester proche du désert. Mais il rêve d'autre chose…

Sa sœur a épousé un étranger de Dubaï qui possède une écurie de dromadaires de course. Il a expliqué à Fouad que les jockeys qui montent ses chameaux sont de très jeunes enfants, et qu'ils ne doivent pas peser plus de 20 kg, afin de ne pas ralentir la course du dromadaire. À six ou sept ans, leurs petites jambes n'ont parfois pas la force de serrer suffisamment les flancs des bêtes. Ils portent alors des pantalons avec des bandes autoagrippantes, pour ne pas tomber de la selle. Fouad pense qu'il est sans doute déjà trop vieux pour espérer faire une carrière de jockey. Par contre, il pourrait tout à fait entraîner les bêtes et devenir soigneur, ou bien vétérinaire. Cette dernière idée plaît à son père. Mais Fouad n'est pas certain de vouloir faire de longues études qui l'obligeraient à quitter le désert. Au contraire, il préférerait apprendre sur place à s'occuper des bêtes, en entrant au service d'un éleveur où en rejoignant, à Essendilène, son oncle qui vit isolé avec sa famille au bord des sables.

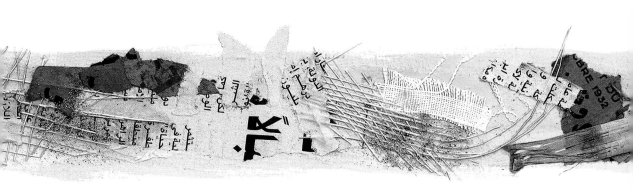

Crédits photographiques :

Couverture : © Frans Lemmens/Getty Images

p. 5 © John Phillips/Time & Life Pictures-Getty Images
p. 7 © The Bridgeman Art Library/Getty Images
p. 10 © Corbis Sygma
p. 14 © Pascal Parrot/Corbis Sygma
p. 17 © Charles et Josette Lenars/Corbis
p. 19 © Hamed/Corbis Sygma
p. 28 © Alain Nogues/Corbis Sygma
p. 29 D.R.
p. 30 D.R.
p. 33 © Barry Iverson/Time & Life Pictures-Getty Images
p. 38 © Time & Life Pictures-Getty Images
P. 40 © Frans Lemmens/Getty Images
p. 46-47 © Françoise de Mulder/Corbis

Réimprimé en septembre 2007 en France
Produit complet Pollina - L44672

Dépôt légal : septembre 2005
ISBN : 978-2-7324-3355-4

Conforme à la loi n° 49-956 du 16 juillet 1949
sur les publications destinées à la jeunesse